CW00419499

Pour A.

**Je veux pas aller
à la piscine!**

ISBN 978-2-211-22996-8
Première édition dans la collection *les lutins* : août 2016
© 2014, l'école des loisirs, Paris
Loi numéro 49 956 du 16 juillet 1949 sur les publications
destinées à la jeunesse : octobre 2014
Dépôt légal : décembre 2018
Imprimé en France par Estimprim - 25110 Autechaux

Stephanie Blake

Je veux pas aller à la piscine!

les lutins de l'école des loisirs
11, rue de Sèvres, Paris 6e

En rentrant de l'école,
maman lit le cahier de correspondance
et dit :
« Avec ta classe,
vous allez à la piscine demain, mon chéri ! »
Simon répond :
« Jamais de la vie ! »

Lorsque sa maman dit :
« Il faut préparer ton maillot,
ta serviette,
ton bonnet de bain…
ah, les voici ! »
Simon répond :
« Jamais de la vie ! »

Le soir, lorsque papa lui dit :
« C'est super !
Tu vas apprendre à nager dans le

GRAND

bain

qui est interdit

aux tout-petits **! »**

Simon lui répond :

« Jamais de la vie ! »

Au milieu de la nuit,
Simon
fait
un
MÉGA
GIGA
CAUCHEMAR.

Il court
vite
dans la chambre
de ses parents
et dit :

« Je ne veux
JAMAIS
JAMAIS
JAMAIS
aller à la piscine,
est-ce que c'est compris ? »

Et lorsque
papa le ramène dans son lit
et dit :
« Mais enfin Simon,
à la piscine il y a des maîtres nageurs.
Leur métier, c'est d'apprendre
aux enfants à nager.
Et une fois qu'on sait nager,
c'est pour toute la vie ! »
Simon lui répond :
« Poil au zizi ! »

Le lendemain matin, à l'école,
la maîtresse dit :
« Maintenant, rangez vos affaires de classe,
c'est l'heure de partir pour la piscine ! »
Simon range son cahier.
Il n'est pas du tout rassuré.
Et lorsque la maîtresse dit :
« Prenez vos affaires de piscine
et mettez-vous en rang
par deux mes petits ! »
Simon murmure :
« Jamais de la vie ! »

À la piscine,
tout le monde met son maillot,
tout le monde met son bonnet.
Et lorsque tous les enfants
arrivent au bord du bassin,
ils entrent dans l'eau un par un.
C'est au tour de Simon...

Simon tremble,
Simon a peur,
Simon ne veut pas
entrer dans l'eau.

Mais juste à côté de lui,
Simon entend sangloter.
Lorsqu'il se retourne,
il voit Lou qui tremble.
Elle a terriblement peur.
Alors, Simon la prend par la main et dit :
« Tu n'as rien à craindre Lou,
grâce à mon **SUPER** pouvoir
de **SUPERLAPIN**,
tu ne risques
ABSOLUMENT rien ! »

Simon entre dans l'eau.
Il aide Lou, qui s'agrippe à lui.
Ensemble, ils jouent
avec les frites et les bouées.
Puis ils mettent des lunettes
et se regardent sous l'eau.
C'est TROP rigolo !

Et à dix heures et demie,
lorsque le maître nageur dit :
« C'est fini pour aujourd'hui »,
Simon répond :

« JAMAIS DE LA VIE ! »